Idées de cadeaux en MOUSSE

Idées de cadeaux en MOUSSE

Avant-propos

Bricoler avec de la mousse procure toujours un immense plaisir, surtout quand il ne fait pas beau. Dans ce livre, tu trouveras de nouveaux motifs pour jouer avec ce matériau; ils sont décrits en détail pour te faciliter la tâche. Tu peux réaliser la plupart de ces modèles avec tes frères et sœurs ou tes copains et tes copines. Et puis, rien ne t'empêchera, plus tard, de créer toi-même de nouveaux modèles!

Le mieux est cependant de commencer par les plus simples; tu vas les réussir du premier coup! Fais bien attention à tes doigts: si tu n'as pas l'habitude du

4

Avant-propos

découpage, utilise des ciseaux à bout rond. Ne te sers pas du cutter sans autorisation et range bien sa lame sitôt le travail terminé. Prends un crayon (ou un porte-mine) pour dessiner sur le papier-calque, un stylo-bille pour tracer sur les plaques de mousse et un stylo-feutre pour dessiner dessus. Maintenant c'est à toi. Je suis sûr que tu vas bien t'amuser!

L'éditeur

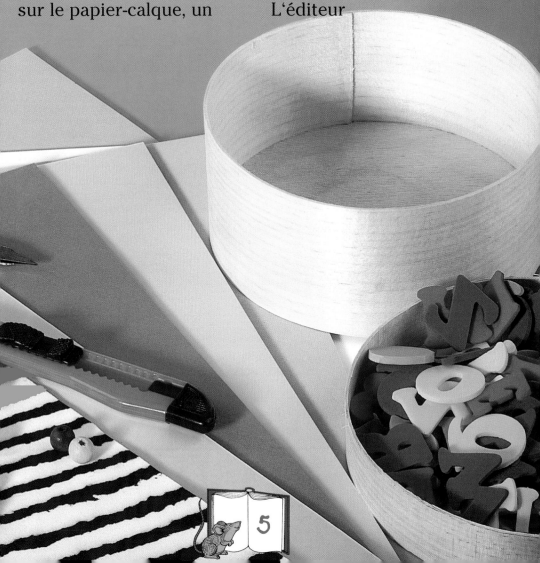

5

Pour bricoler avec de la mousse

Avant de commencer, il te faut un plan de travail non glissant et résistant. Si tu n'en as pas, une vieille couverture de laine ou de la feutrine, recouvertes de plusieurs épaisseurs de papier journal feront l'affaire.

Prépare tout ton matériel d'avance: tu dois avoir tout à portée de la main. Rien n'est plus embêtant, lorsqu'on bricole, que d'être obligé de se déplacer tout le temps pour attraper un outil!

La mousse est un produit courant dans le commerce qui présente beaucoup d'avantages. Elle est utilisable plusieurs fois, résistante à la lumière (ses couleurs ne passent pas), imperméable et simple à travailler. C'est le matériau idéal pour nos réalisations de toutes tailles : il est souple et pourtant suffisamment rigide; il se prête aussi bien à la fabrication d'objets en trois dimensions qu'à la confection de tableautins ou de mobiles. Nous avons rassemblé ici quelques idées réalisables par tous, petits ou grands.

La mousse se présente en plaques de 2 mm d'épaisseur. Elles existent en 20 couleurs plus le blanc. On trouve aussi des lettres et des chiffres prédécoupés en 7 mm d'épaisseur. Si tu as besoin de plaques avec des rayures, des cercles, des zébrures ou d'autres figures géométriques: triangles, carrés, ovales, etc, tu peux les peindre toi-même. Si tu vas dans un magasin de loisirs créatifs, tu n'auras que l'embarras du choix.

Si en plus tu possèdes des bouts de ficelles, des cure-pipes, des perles de bois, des allumettes, à toi de leur trouver une utilisation décorative, cela au gré de ton imagination. Tu puiseras aussi dans la nature des foules d'idées.

Comme outils et accessoires, tu as besoin de ciseaux de taille moyenne, de ciseaux à ongles, d'un double-décimètre, d'une règle, de colle sans solvant. Très important: un support de découpe formé de plusieurs couches de papier-journal ou de carton, une perforatrice, des pinces à dessin, du papier-calque, des yeux mobiles, un crayon ou un porte-mine, un stylo-bille, des stylos-feutres pour la finition.

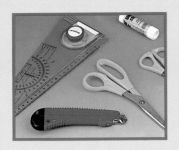

Tu peux te servir des ciseaux comme tu le fais d'habitude mais en les utilisant au plus près de la charnière. Le truc, c'est de couper en manœuvrant le morceau de mousse et non les ciseaux. La découpe doit être sans bavure. Pour une découpe rectiligne, utilise de préférence une règle métallique et un cutter: pour éviter les bavures, passe plusieurs fois le cutter le long de la règle. Tu dois absolument te servir d'une colle sans solvant. Les parties encollées doivent être pressées sous un gros livre ou une planchette lestée d'un poids.

Attention: la mousse et sa colle sont absolument déconseillées aux tout-petits ainsi que toutes les autres colles. Il faut impérativement éviter qu'ils portent les objets réalisés par leurs grands frères et sœurs à la bouche: ils pourraient les avaler!

Pour faire un gabarit:

Pour confectionner un gabarit, tu as besoin de papier-calque ou de calque d'architecte, d'un carton ou de cartoline rigide, d'un crayon et d'une paire de ciseaux.

1. Place le gabarit sous un morceau de papier-calque et dessine le modèle choisi au crayon. Les bons dessinateurs pourront se passer de modèle et dessiner à main-levée.

2. Découpe les modèles décalqués. Si tu veux conserver durablement les modèles réalisés, le mieux est de les découper dans du carton ou de la cartoline. Tu obtiendras ainsi un gabarit rigide plus facile à utiliser.

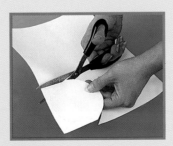

3. Place les modèles découpés sur la mousse, reporte les contours sur la plaque au stylo-bille et découpe avec les ciseaux ou le cutter (pour les parties droites).

Les gabarits ainsi confectionnés peuvent être conservés et utilisés plusieurs fois. Naturellement, il n'est pas indispensable de faire chaque fois un gabarit rigide; le modèle dessiné sur papier-calque peut également servir de guide pour dessiner directement sur la plaque de mousse.

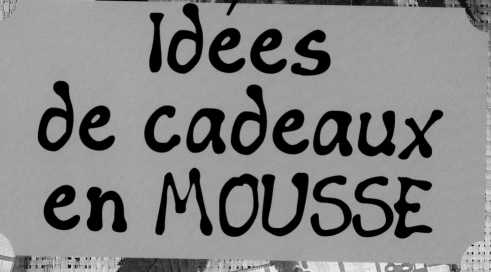

Idées de cadeaux en MOUSSE

Etui à lunettes

Matériel:

Plaques de mousse lilas, bleu foncé, bleu clair et turquoise, sachet de lettres de l'alphabet, crayon, stylo-bille, colle universelle sans solvant, ciseaux, règle, papier-calque

1. Dessine les différentes pièces sur le papier-calque en t'aidant du gabarit et découpe-les.

2. Pose chaque modèle sur les plaques de mousse de couleurs différentes, dessine les contours au stylo-bille puis découpe les formes avec les ciseaux ou le cutter.

3. Compte 24 cm à partir du haut et fais une fente de 2,5 cm de long et 1 cm de large; elle servira pour fermer l'étui.

4. Prépare la décoration: découpe un carré bleu. Décore-le d'une fleur turquoise.

5. Colle ce motif au verso de la mousse découpée et colle tes initiales de chaque côté de la fleur.

6. Plie cette découpe pour former une pochette dont tu colleras les bords à la colle sans solvant.

7. L'étui à lunettes est prêt, il n'y a plus qu'à glisser la languette dans la fente pour le fermer.

10

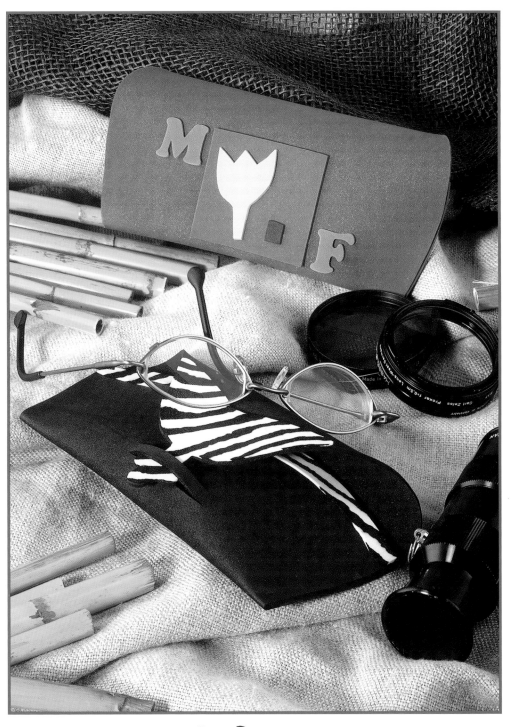

Boîte à bijoux

Matériel:

**Une boîte à fromage de 115 mm de diamètre,
plaques de mousse décorée, paire de ciseaux,
colle universelle sans solvant, crayon, règle, cutter**

1. Étends la mousse sur le plan de travail et pose dessus la boîte à fromage.

2. Trace au crayon le contour du couvercle et découpe suivant le tracé.

3. Mesure la hauteur et la circonférence du couvercle et découpe une bandelette.

4. Refais la même opération avec la boîte elle-même.

5. Lorsque toutes les découpes sont prêtes, colle-les sur la boîte à fromage. Tu obtiens alors une belle boîte à bijoux.

Barrette

Matériel:

Plaque de mousse beige, vert foncé, blanche, une barrette, fil de nylon, papier-calque, aiguille, crayon, stylo-feutre, paire de ciseaux ou cutter, colle universelle sans solvant, yeux mobiles

1. Dessine les modèles sur le papier-calque à l'aide des différents gabarits et découpe-les.

2. Pose chaque modèle sur les plaques de mousse de couleurs différentes, dessine les contours au stylo-bille puis découpe les formes avec les ciseaux ou au cutter.

3. Avec une aiguille et du fil, couds solidement le socle sur la barrette.

4. Confectionne divers éléments de décoration selon ton goût (cactus, tête de taureau, etc.) ou bien dessines-en d'autres au stylo-feutre.

5. Colle les éléments sur le socle et laisse bien sécher. En voilà une belle barrette!

Pochette

Matériel:

**Plaques de mousse orange,
lilas et jaune, 1 m de ruban de 5 cm de large,
crayon, papier-calque,
paire de ciseaux, colle universelle sans solvant.**

1. Dessine les modèles sur le papier-calque en t'aidant des différents gabarits et découpe-les.

2. Pose chaque modèle sur les plaques de mousse de couleurs différentes, dessine les contours au stylo-bille puis découpe les formes avec les ciseaux ou le cutter.

3. Pose la plaque de ta pochette sur le plan de travail, coupe 2 rubans d'une longueur égale à la largeur de la plaque et colle-les.

4. Colle les fleurs des deux côtés de la pochette.

5. Plie la plaque en deux à partir du milieu et colle les deux faces.

6. Enfin, colle le reste du ruban pour faire une bandoulière

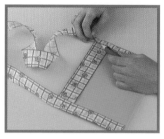

Astuce

Pour les motifs et le ruban, laisse libre cours à ton imagination car il existe de multiples possibilités. Les pochettes façon zèbre ou chinées sont également très chic.

Cadre

Matériel:

**Plaques de mousse lilas, noire, verte,
sachet de lettres de l'alphabet, sachet de morceaux de mousse
de différentes couleurs, papier-calque, crayon, stylo-bille,
paire de ciseaux ou cutter, règle, attache en toile pour tableau**

1. Dessine les modèles du cadre et des accessoires sur du papier-calque, à l'aide du gabarit et découpe-les.

2. Pose les modèles sur les plaques de mousse de la couleur voulue, dessine le contour au stylo-bille et découpe-les.

3. Prépare plusieurs ronds en mousse en choisissant de belles couleurs et découpe des dentelures tout autour.

4. Colle des petits ronds de différentes couleurs au centre des fleurs ainsi qu'une pastille noire. Maintenant, découpe la fleur en allant de l'extérieur vers le centre pour figurer les pétales.

5. Décore les bords du cadre avec les fleurs, des lettres d'alphabet ou d'autres motifs de ton choix.

6. Découpe la plaque de mousse noire à la dimension du cadre et colle d'un côté l'attache pour tableau ; positionne le cadre de l'autre côté.

7. Dépose des points de colle à trois angles de la plaque noire; tu pourras ainsi facilement y glisser une autre image. D'autres motifs de décoration peuvent être utilisés afin de remplacer les anciens, ce qui donnera à ton cadre un air de nouveauté.

Je suis au jardin...

Matériel:

Des plaques de mousse bleue, orange, vert foncé, rouge, lilas, marron, vert clair et jaune, de la mousse naturelle, ruban, crayon, paire de ciseaux ou cutter, colle universelle sans solvant, crayons, stylo-bille, stylo-feutre, papier-calque

1. Dessine les modèles sur le papier-calque en t'aidant des différents gabarits et découpe-les.

2. Pose chaque modèle sur les plaques de mousse de couleurs différentes, dessine les contours au stylo-bille puis découpe les formes avec les ciseaux ou le cutter.

3. Tu peux aussi dessiner, découper et colorier avec des stylos-feutres des morceaux de mousse en forme de fraise, d'aubergine, de tomate et de carotte ou de fleurs.

4. Pose le pot de fleurs découpé sur le plan de travail puis dispose et colle sur la partie supérieure les éléments de décoration.

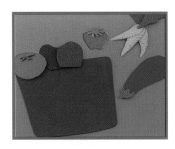

5. Sur le bord du pot, colle de la mousse naturelle et décore le tout.

6. Enfin, dispose au bas du pot quelques carottes et inscris un motif d'absence, par exemple: Je suis au jardin

7. Pour pouvoir accrocher l'enseigne, dote-la d'un ruban.

Astuce

Ce bricolage peut aussi servir à la décoration d'une boîte à cadeaux où l'on pourra disposer, par exemple, des fruits et légumes.

Je suis
au
jardin

Essuie-goutte pour bouteille

Matériel:

**Plaques de mousse turquoise, bleu clair, bleu foncé,
grise, papier-calque, crayon, stylo-bille,
colle universelle sans solvant,
paire de ciseaux ou cutter**

1. Dessine les modèles sur le papier-
calque en t'aidant des
différents gabarits et
découpe-les.

2. Pose chaque
modèle sur les
plaques de mousse de
couleurs différentes,
dessine les contours au
stylo-bille, puis découpe
les formes avec les
ciseaux ou le cutter.

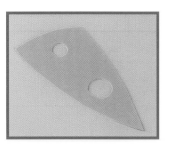

3. Colle les feuilles
sur la pointe du
triangle bleu.

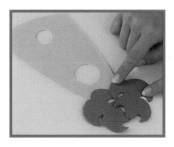

4. Colle ensuite la
grappe sur les
feuilles. Fais attention à
ce que le motif soit bien
réussi. Il est peut-être
préférable de disposer
les éléments avant de
les coller définitive-
ment.

5. Garnis le col de la
bouteille de son
essuie-goutte.

Astuce

Laisse libre cours à ton
imagination ; pour des
limonades ou des jus de
fruits, choisis plutôt des
motifs de fruits ou d'ani-
maux.

23

Visière

Matériel:

**Plaques de mousse bleue, verte,
jaune et multicolore, papier-calque, crayon, stylo-bille,
paire de ciseaux ou cutter,
colle universelle sans solvant,
ruban élastique**

1. Dessine les modèles sur le papier-calque en t'aidant des différents gabarits et découpe-les.

2. Pose chaque modèle sur les plaques de mousse de couleurs différentes, dessine les contours au stylo-bille, puis découpe les formes avec les ciseaux ou le cutter.

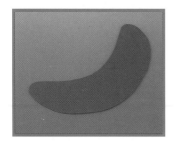

3. Pour la décoration, utilise toutes sortes de petits morceaux de mousse que tu colleras. Ta visière peut faire la taille que tu veux. Pour la rendre plus résistante, utilise simplement plusieurs épaisseurs de mousse.

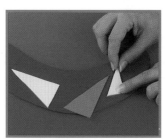

4. Fixe un bout de ruban ou un élastique aux deux extrémités de la visière. C'est fini.

Astuce

Pour la décoration, tu peux également te servir de fleurs, de petits coquillages, d'une lune, de poissons ou d'un soleil.

Marionnettes à doigt

Matériel:

Plaques de mousse grise, rose, orange, marron foncé, marron clair, beige, verte, jaune, rouge, yeux mobiles, crayon, papier-calque, paire de ciseaux ou cutter, stylo-bille, stylos-feutres, colle universelle sans solvant

1. Dessine les modèles sur le papier-calque en t'aidant avec les différents gabarits et découpe-les.

2. Pose chaque modèle sur les plaques de mousse de couleurs différentes, dessine les contours au stylo-bille, puis découpe les formes avec les ciseaux ou le cutter.

3. Décore chaque figurine à l'aide de petits morceaux de mousse de couleur ou coloriés au stylo-feutre. L'éléphant, par exemple, aura des oreilles et le dessous des pattes roses. Dessine enfin les pattes et les doigts.

4. Fait de même pour la girafe, le singe et la chenille.

5. Mets ton doigt sur chaque figurine dans le sens de la hauteur afin de pouvoir bien placer les fentes.

6. Avec un crayon, marque l'épaisseur du doigt et découpe au cutter deux fentes parallèles. Ainsi, les marionnettes peuvent s'enfiler sur les doigts.

27

Le Père Noël

Matériel:

**Plaques de mousse rouge, blanche, noire,
couleur chair et multicolore, crayon, paire de ciseaux ou cutter,
colle universelle sans solvant, stylo à bille, stylo-feutre,
règle, fil, aiguille, fil argenté, clochette, perles de bois,
perforatrice, attaches parisiennes, papier-calque**

1. Dessine les modèles sur le papier-calque en t'aidant des différents gabarits et découpe-les.

2. Pose chaque modèle sur les plaques de mousse de couleurs différentes, dessine les contours au stylo-bille, puis découpe les formes avec les ciseaux ou le cutter.

3. Colle la barbe, le bonnet et le pompon sur le visage. Dessine ensuite les yeux, le nez et la bouche.

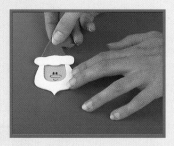

4. Colle la tête sur le corps. Dessine le manteau et les boutons.

5. Colle les petites bandes blanches sur les manches et, à l'aide de la perforatrice, perce un trou dans la partie supérieure du bras.

6. Passe un fil avec une aiguille dans les trous des bras et fais un nœud.

Le Père Noël

7. Attache un fil d'argent de 30 cm au fil ordinaire.

8. Enfile des perles multicolores sur le fil d'argent et une clochette à l'extrémité.

9. Colle les pieds à l'arrière. Plante les attaches parisiennes dans le manteau pour pouvoir articuler les bras.

10. Maintenant retourne le Père Noël, fixe les bras avec les attaches parisiennes et écarte bien leurs branches. Vérifie que les deux bras remuent convenablement.

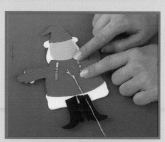

11. Relie la hotte à la main avec une attache parisienne.

Astuce

Ce Père-Noël s'utilise comme pantin à une fenêtre ou sur une porte de chambre d'enfants. Il peut aussi décorer un cadeau.

Costume de clown

Matériel:

**Plaques de mousse bleue, lilas, vert clair, rouge, orange,
4 plaques de mousse décorées de ronds ou de rayures,
papier-calque, rayon, paire de ciseaux,
colle universelle sans solvant, 1 m de bolduc de couleur vive,
règle, cutter, 3 ronds de mousse de couleurs
vives de 8 cm de diamètre (pour les boutons)**

1. Dessine les modèles sur le papier-calque en t'aidant des différents gabarits et découpe-les.

2. Pose chaque modèle sur les plaques de mousse, dessine les contours au stylo-bille puis découpe les formes avec les ciseaux ou le cutter.

3. Pose les éléments du col sur le plan de travail. Le long de chaque bout droit, à environ 5 mm du bord, découpe de petites fentes, espacées d'environ 1 cm, par lesquelles tu feras passer le bolduc.

4. Pour décorer le col, dessine et découpe des modèles de fleurs, de cœurs, de carrés sur papier-calque avant de les reporter sur les plaques de mousse.

5. Colle ces motifs sur le col du clown.

6. Maintenant, tu peux revêtir ton col de clown.

7. Pour disposer les boutons, découpe une fente en croix au milieu des ronds de mousse.

8. À présent, fixe les boutons multicolores en faisant passer ceux d'une chemise par la fente en croix. Avec un col et de pareils boutons, il ne te reste plus qu'à faire le clown !

Table des matières

Édition spéciale autorisée
© 2000 Mixing GmbH, Neckarsum, Allemagne.
Imprimé en Italie. Tous droits réservés.